LES GRANDES ÉNIGMES DE L'HISTOIRE

3e tirage : mars 2017
18, rue Barbès, 92120 Montrouge
ISBN : 978-2-7470-4680-0
Dépôt légal : juin 2013

Loi n° 49-956 du 16 juillet 1949 sur les publications destinées à la jeunesse.
Imprimé en France par Pollina - L79664.

Pascale Hédelin

Les grandes énigmes de l'histoire

La malédiction de Toutankhamon

Illustrations
de Karim Friha

bayard poche

Prologue

Ce 13 octobre 1985 était un grand jour pour Alexander Snooper. D'une part, le vieil homme fêtait son quatre-vingt-cinquième anniversaire. Il avait d'ailleurs été gâté ce jour-là par son épouse, ses enfants et ses petits-enfants. D'autre part, il venait de prendre une grande décision : écrire un livre qui raconterait la période la plus intense, la plus riche de sa vie…

En cette fin d'après-midi, dans son appartement londonien, assis à son bureau dans son fauteuil préféré, Alex réfléchissait. Il contempla sa machine à écrire, la feuille vierge qu'il y avait placée et les montagnes de notes et articles de journaux entassés tout autour. Ses yeux pétillaient derrière ses lunettes rondes. Il avait toujours l'esprit aussi curieux qu'autrefois, et un inlassable désir de comprendre le monde et d'en élucider les mystères… C'est certainement ce qui l'avait poussé à devenir journaliste. Il n'avait plus le même goût pour l'aventure, évidemment, et sa santé se faisait vacillante avec l'âge. Toutefois, Alex était loin d'être gâteux, malgré ce qu'insinuait miss Jenny, sa dame de compagnie, qui aimait le taquiner !

Il inspira profondément et se mit à taper sur les touches de sa machine à écrire :

« Ce récit est le témoignage de l'extraordinaire aventure que j'ai vécue. En effet, j'ai eu le privilège de participer entre les années 1922 et 1930 à l'expédition menée par l'archéologue Howard Carter en Égypte. Cette expédition l'a rendu mondialement célèbre, car elle a abouti à la découverte du fabuleux tombeau du pharaon Toutankhamon !

Cette expédition a beaucoup fait parler d'elle, car elle a été accompagnée d'un cortège de morts inquiétantes et énigmatiques. Parmi les victimes, plusieurs personnes ayant pénétré dans le tombeau et approché la momie du pharaon. À l'époque, on parlait alors dans le monde entier de " la malédiction de Toutankhamon " : la momie du pharaon, furieuse contre ces intrus troublant son repos éternel, se serait-elle vengée en les tuant ?

Lorsque j'y repense, cette affaire me fait encore froid dans le dos ! Mais elle m'a tant intrigué, fasciné et tourmenté à la fois, que j'ai consacré bien du temps et de l'énergie à enquêter sur elle pour m'efforcer de faire toute la lumière dessus. Quoi de plus normal pour un journaliste ? »

Alexander Snooper fit une pause. Il observa le dessin que sa petite-fille Ashley lui avait offert ce matin-là pour son anniversaire : il représentait l'œil protecteur d'Horus, le dieu-faucon destructeur des forces du mal. Il était remarquablement précis, très proche du véritable œil d'Horus qu'il possédait, à l'histoire si mystérieuse... Alexander était si fier de sa petite-fille ! À dix ans à peine, elle venait de décider de suivre la voie de son grand-père : lorsqu'elle serait grande, avait-elle affirmé en plantant ses grands yeux verts dans les siens, elle serait journaliste comme lui, parcourrait le monde et écrirait pour un grand journal ! Avec son esprit vif et sa volonté, c'était certain, elle ferait son chemin. Peut-être se passionnerait-elle à son tour pour l'égyptologie, l'étude de l'Égypte antique ?

Cette passion pour l'Égypte, il s'en souvenait très précisément, s'était déclenchée en lui un jour de novembre 1910. Ce fut ce même jour qu'il éprouva la peur de sa vie face à ses premières momies...

Chapitre 1

Alerte aux momies !

Alex avait tout juste dix ans. Ce jour-là, il était en visite avec sa classe et son institutrice, miss Titilby, au British Museum, à Londres. Ce musée d'histoire et d'art abritait déjà de précieuses collections d'objets anciens venus du monde entier, en particulier des antiquités égyptiennes.

Que de merveilles venues d'Égypte dans ces salles ! De superbes fresques représentant des paysans en pagne blanc, peints de profil, cultivant leurs champs, ou encore de gracieuses danseuses au corps souple exécutant des acrobaties ; une magnifique statuette de chat noir portant une boucle d'oreille… Et puis d'énormes sarcophages, ces cercueils de bois décorés de formules magiques, protégeant le défunt qu'ils renfermaient. Sur leurs parois se dressait l'impressionnant dieu Anubis à tête de chacal, gardien des morts.

Le jeune Alex était fasciné. De plus, c'était très étrange : il découvrait tous ces objets pour la première fois, et pourtant tout cela lui semblait familier, comme s'il avait connu cette époque très longtemps auparavant, dans une autre vie.

Miss Titilby, l'institutrice, présentait l'Égypte antique à toute allure à ses élèves, parcourant les couloirs au pas de course : ils avaient peu de temps pour la visite et encore mille choses à voir au Museum. Au début, Alex buvait ses paroles, mais elle allait bien trop vite pour lui. Or, il avait besoin de temps pour observer, digérer les informations, admirer, lire les panneaux, rêver…

Du coup, bientôt, il ne l'écouta plus. Il constata vaguement que ses camarades s'agglutinaient autour d'une vitrine, bourdonnant tel un essaim d'abeilles. Il était resté en arrière, la tête penchée sur un long papyrus couvert de mystérieux hiéroglyphes qu'il tentait vainement de déchiffrer, comme s'il avait été un savant professeur…

Tout à coup, il réalisa qu'il régnait un étrange silence, un silence de mort. Il était seul dans la salle faiblement éclairée, toute sa classe avait disparu, comme aspirée par le néant !

Il allait s'élancer à la recherche de son groupe, lorsque son regard tomba sur ce que contenait la fameuse vitrine où tous s'étaient attroupés un instant auparavant. Des momies ! C'était la première fois qu'il en voyait ! Certaines étaient soigneusement emmaillotées de bandelettes, au creux de leurs sarcophages, d'autres exposées en partie à nu, maigres et noirâtres, la peau racornie, les ongles crochus, le visage creux et sans regard… Elles étaient hideuses, mais Alex ne pouvait en détacher ses yeux, fasciné.

Brusquement, la faible lumière de la salle vacilla puis s'éteignit. Alex se retrouva plongé dans le noir ! Il entendit alors un léger bruit provenant de l'intérieur de la vitrine aux momies : un grattement, comme si quelqu'un frottait ses ongles sur du bois. Puis il perçut un grincement, suivi d'une sorte de ricanement ! Pétrifié par la peur, le cœur cognant dans sa poitrine, Alex vit (ou crut voir ?) dans la pénombre, l'une des momies lever son bras décharné vers lui.

Au même instant, une main ferme le saisit par l'épaule ! Il se retourna en hurlant… et découvrit miss Titilby, les yeux écarquillés derrière ses lunettes, qui l'observait avec étonnement.

– Te voilà enfin ! s'écria-t-elle de sa voix pointue. Cela fait dix minutes que je t'appelle. Il ne faut pas rester à l'écart du groupe, mon petit ! Et ce n'est pas bon de rester tout seul dans le noir avec cette panne électrique. Bon, viens vite, nous sommes dans la salle des antiquités chinoises maintenant.

Comment savoir si ce qui s'était produit ce jour-là était un effet de l'imagination d'Alex, assez fertile, ou si un phénomène surnaturel avait réellement eu lieu ? Toujours est-il qu'ainsi naquirent sa passion pour l'Égypte… et sa peur maladive des momies, dont il eut bien du mal à se débarrasser au cours de sa vie !

Aussi, les jours suivants, à l'école, Alex questionna avidement miss Titilby :

– Mais pourquoi on transformait les gens en momies ?

– Vois-tu, Alex, les Égyptiens de l'Antiquité avaient certaines croyances…, lui expliqua son institutrice. En particulier qu'après la mort on pouvait renaître dans l'au-delà, mais à condition que le corps ne soit pas abîmé. Les gens étaient donc momifiés pour que leur corps reste intact.

– Comment on faisait ?

– Eh bien… le cadavre subissait toute une série de traitements minutieux… et euh, assez repoussants. Tu veux vraiment savoir ?

– Oui !

– Très bien. Il était d'abord vidé de ses viscères, c'est-à-dire le cerveau, les poumons, le foie, l'estomac et les intestins. Seul le cœur restait en place, car les Égyptiens pensaient qu'il était le siège des sentiments et de l'intelligence.

Alex réprima un frisson de dégoût, tandis que miss Titilby poursuivait :

– Ensuite le corps était embaumé. On le bourrait de résine et d'huile. Puis on le plaçait dans un bain de sel qui le desséchait. Enfin, après l'avoir rempli d'épices, de tissus, de sciure et de sable, on l'entortillait dans des bandelettes de lin, entre lesquelles on glissait des amulettes porte-bonheur - en forme de scarabée par exemple. Elles étaient supposées aider le mort dans son autre vie.

– Et les viscères ?

– Ils étaient embaumés à part, sauf le cerveau qu'on réduisait en morceaux, et on les enfermait dans quatre vases, les canopes. Ainsi ils ne risquaient pas de se décomposer à l'intérieur de la momie.

Alex demanda, tout étonné :

– Alors tout le monde était transformé en momie ?

– Tout le monde, non ! La momification coûtait très cher et elle était très longue à réaliser : soixante-dix jours en tout. Les pauvres n'y avaient pas droit : ils étaient simplement enterrés dans le sable du désert, ce qui conservait plus ou moins leur corps. Seuls les nobles et les pharaons, ainsi que leur famille, étaient momifiés, sans oublier certains animaux sacrés comme les taureaux, les crocodiles ou bien les ibis... Cela dit, ce sont sûrement les pharaons qui ont eu droit aux meilleures momifications !

– Les pharaons, c'était les grands chefs ? demanda Alex.

– C'était les rois d'Égypte, précisa miss Titilby amusée. Ils ont régné à tour de rôle pendant plus de trois mille ans sur l'Égypte, environ à partir de l'an 3000 avant Jésus Christ. La plupart du temps, ils se sont succédé de père en fils, et ils ont ainsi créé ce qu'on appelle des dynasties. Au fait, sais-tu que, pour le peuple d'Égypte, le pharaon était un dieu vivant ? On se prosternait devant lui et l'on croyait qu'il avait des pouvoirs magiques, en particulier qu'il pouvait influencer les crues du Nil, le grand fleuve : ces crues étaient vitales pour l'agriculture.

– Alors ils devaient être très puissants, ces rois ? s'enquit Alex fasciné.

– Bien évidemment, mon petit, un pharaon avait énormément de pouvoir ! Il était le maître absolu du pays, et il dirigeait tout : l'armée, la justice, les échanges commerciaux, les grands travaux... Il avait aussi un rôle important dans la religion : il était le prêtre principal. Toutefois ses relations avec les membres du clergé n'étaient pas toujours faciles, car ceux-ci tenaient beaucoup à leur propre pouvoir et à leurs privilèges...

– Ça devait être fantastique, d'être le pharaon..., murmura Alex. Et c'est vrai qu'il avait beaucoup de femmes ?

– C'est vrai : beaucoup de femmes, dont son épouse principale, et une ribambelle d'enfants ! Et figure-toi que ses épouses pouvaient être sa sœur ou sa fille, car les Égyptiens croyaient que, en se mariant entre eux, les membres de la famille royale conserveraient la « pureté de leur sang » ! De nos jours, c'est strictement interdit !

Alex demeura songeur. L'espace d'un instant il s'imagina transporté à l'époque des pharaons... et devenu pharaon lui-même, ou plutôt fils de pharaon !

Son institutrice interrompit sa rêverie :

– Pour en revenir aux momies et à la mort, sache que chaque pharaon était obsédé par son futur tombeau. C'était le lieu sacré qui devait lui faciliter le passage vers l'autre monde. Le pharaon consacrait énormément de temps à la construction de ce tombeau au cours de sa vie ! Et après sa mort, le jour de ses funérailles, sa momie, bien à l'abri dans son sarcophage, y était enfermée pour l'éternité. Pour l'accompagner dans son grand voyage, on plaçait auprès d'elle tout ce qui pourrait lui être utile dans son autre vie : de la nourriture, des serviteurs sous forme de statuettes, des meubles… et des trésors extraordinaires !

Elle ajouta, l'air mystérieux :

– Ah oui, une chose aussi : selon les croyances de l'époque, si un jour un évènement important perturbait le repos du pharaon, son âme pourrait regagner son corps et lui permettre ainsi de revenir sur terre…

Chapitre 2

Tombeaux secrets

Une douzaine d'années après sa frayeur au British Museum, en octobre 1922, commença l'aventure égyptienne d'Alexander Snooper. À vingt-deux ans, c'était un jeune journaliste fringant, enthousiaste et perspicace, au visage rond, au nez pointu et au regard perçant. Il travaillait pour le *Times*, le plus célèbre et le plus ancien des quotidiens britanniques. Et il venait de s'y faire remarquer en rédigeant un article pertinent sur la dure vie des chômeurs, lors de la grande crise économique qui venait de se produire en Grande-Bretagne.

À force d'insister, il avait réussi à convaincre sa rédaction de l'envoyer en Égypte, afin de couvrir l'expédition de l'égyptologue Howard Carter et de faire un reportage sur ce sujet. Alex avait du flair, et son petit doigt lui soufflait qu'il allait s'y produire quelque chose de remarquable…

Le cœur battant, il avait donc en cette année 1922 posé le pied sur la terre d'Égypte, ancien pays des pharaons qui le fascinait tant. Depuis la Première Guerre mondiale, l'Égypte était sous le contrôle de la Grande-Bretagne, et bien qu'indépendante elle restait sous son influence. C'est pourquoi de nombreux archéologues britanniques y menaient facilement des fouilles, tel Howard Carter qu'Alex rejoignit allègrement.

Les débuts de Carter étaient étonnants. Doué pour le dessin, il s'était fait remarquer à dix-sept ans par un égyptologue. Celui-ci l'avait engagé pour venir en Égypte recopier à l'aquarelle des fresques découvertes dans un tombeau antique. C'est là que le déclic se fit pour Carter : de fil en aiguille, il devint à son tour spécialiste d'égyptologie, apprenant son métier essentiellement sur le tas. Ce qui entraîna souvent les critiques de ses confrères, car il n'avait pas leur expérience et ne faisait pas toujours les choses dans les règles…

Lors de leur première rencontre, Alex ne put s'empêcher de sourire secrètement à la vue de cet homme si élégant, dans sa chemise blanche impeccable ornée d'un nœud papillon, portant une moustache bien taillée… en plein milieu du désert égyptien tout de chaleur et de poussière !

Mais l'accueil de Carter fut glacial :

– C'est vous, le gratte-papier qui venez suivre mes fouilles ? s'enquit l'archéologue en lui serrant fermement la main. J'espère que vous ne serez pas tout le temps dans mes pattes ?

– Je… je ferai de mon mieux pour ne pas vous déranger, monsieur, je vous assure ! bafouilla Alex, déstabilisé.

Carter était connu pour son mauvais caractère : il prenait facilement la mouche, était très têtu et parfois même intransigeant. Mais c'était un homme droit et passionné, ce qui plaisait à Alex. Le tout, se dit-il, était de ne pas le contrarier…

Malheureusement pour lui, c'est ce qu'il fit dès le premier jour ! Alex avait en effet emmené dans ses bagages Mérérou, son chat noir adoré qui jamais ne le quittait. L'animal était habitué à barouder, mais il n'en faisait souvent qu'à sa tête. Mérérou commença par se faufiler dans la tente de Carter, pour y voler le reste de sandwich au poulet qui y traînait. Au passage, il renversa un verre de thé à la menthe sur le carnet de notes de l'égyptologue… qui entra dans une colère noire !

Cela amusa par contre les autres membres de l'équipe – composée essentiellement d'ouvriers égyptiens. Parmi eux, Alex se fit vite deux amis : Ahmed, le raïs, chef des ouvriers, débrouillard, organisé, connaissant la région comme sa poche, et Ibrahim, un tout jeune garçon adroit et doux, qui savait mener les ânes porteurs de charges comme personne.

Ce soir-là, une fois les dégâts sur son carnet réparés et les excuses d'Alex acceptées, Carter se confia un peu au jeune journaliste:

– Bien, puisque vous voulez tout savoir, voilà cinq ans que je mène des fouilles ici, dans la Vallée des Rois. Des fouilles acharnées! Mais avant de vous parler de cette immense nécropole, jeune homme, il vaudrait mieux que je vous éclaire sur les pyramides…

– Avec joie, monsieur Carter ! répondit Alex, se gardant bien d'avouer qu'il en savait déjà long sur le sujet…

Carter lui expliqua donc:

– Voyez-vous, les pharaons de l'Ancien Empire, à partir de la troisième dynastie, se sont fait enterrer dans des pyramides colossales proches du Nil. Vous connaissez forcément celle de Khéops. Plus tard, ceux du Moyen Empire, tel Pépi Ier, ont également choisi des pyramides comme tombeaux, mais de taille plus modeste.

Alex glissa:

– Si je ne me trompe, ces tombes royales étaient remplies de trésors ?

– Effectivement, ce qui de tout temps a attiré la convoitise des voleurs ! Pour tenter de les égarer, les bâtisseurs ont aménagé dans ces monuments des systèmes complexes de galeries qui menaient à de fausses chambres funéraires… mais en vain. Ces maudits voleurs ont pillé toutes les pyramides, bravant leur peur de pénétrer dans un lieu sacré et de s'attirer la colère de l'au-delà… et malgré le risque de subir un terrible châtiment.

– Lequel ?

– Tout pilleur de tombes royales capturé était torturé et empalé ! Je vous épargne les détails…

– Euh oui, merci ! Et ensuite, s'enquit Alex, que firent les pharaons suivants ?

– Eh bien au cours du Nouvel Empire, entre 1550 et 1070 avant Jésus Christ, la plupart d'entre eux – comme Thoutmosis Ier, Sethi Ier ou encore Ramsès II – ont choisi des sépultures beaucoup plus discrètes. Ils se sont fait enterrer ici plus au sud, près de Thèbes, la capitale d'alors, au cœur de cette vallée désertique toute de sable et de cailloux et entourée de falaises à pic : la Vallée des Rois. Ils ne l'ont pas choisie par hasard : elle s'étendait à l'ouest du pays, du côté du soleil couchant, une zone qui était la terre des morts pour les Égyptiens de l'Antiquité.

– Donc, pas de pyramides pour ces pharaons-là, conclut Alex.

– Non, leurs tombes étaient simplement taillées dans les falaises et leur entrée était secrète, répondit Carter.

– Alors, si ces tombes étaient cachées sous terre, les momies et les trésors de ces grands rois devaient être à l'abri des voleurs ? remarqua Alex.

– Détrompez-vous ! Ces cachettes ont été découvertes à leur tour par les pilleurs de tombes, qui avaient plus d'un tour dans leur sac. Par exemple, les gardes étaient drogués, ou pire : complices ! On leur offrait une part du trésor qu'on allait piller.

– Qui étaient ces voleurs ?

– Oh, bien souvent de pauvres artisans ou paysans, aux ordres de gens plus riches. Parfois aussi c'étaient des ouvriers qui avaient construit la tombe elle-même ! La nuit, ces voleurs forçaient l'entrée secrète. Puis ils rampaient dans l'obscurité à l'intérieur des boyaux souterrains, jusqu'à atteindre la chambre funéraire. Je les imagine bien, tremblants de peur et d'excitation, en train d'ouvrir les sarcophages sacrés, et de tout saccager !

– Que volaient-ils ?

– Tout ! Ils arrachaient les amulettes, les masques d'or, les pierres précieuses, quitte à trancher les doigts des momies royales pour voler leurs bijoux. Et pfuit ! ils repartaient avec leurs trésors, ni vus ni connus, les sacripants !

– Dites-moi, monsieur Carter, demanda Alex, combien de tombeaux de pharaons ont été découverts jusqu'à présent dans la Vallée des Rois ?

– À ce jour, une soixantaine, dont ceux de Thoutmosis IV et de la reine Hatchepsout, que j'ai moi-même découverts. Hélas, tous ont été pillés à différentes époques, et de nombreuses momies ont disparu. Malgré tout, ajouta Carter, je suis persuadé que l'on pourrait encore trouver ici, dans la Vallée des Rois, un tombeau intact, bien dissimulé : celui de Toutankhamon, un pharaon bien énigmatique…

L'archéologue s'interrompit. Alex, qui avait noté fébrilement ses propos, remarqua qu'il avait les yeux brillants et les joues rouges, comme si un feu intérieur le dévorait à l'évocation de ce fabuleux passé. Il semblait disposé à parler encore et le jeune homme en profita. Tout en caressant Mérérou sagement roulé en boule sur ses genoux, il demanda :

– Justement, monsieur Carter, pourriez-vous me dire qui était Toutankhamon et ce qu'il a accompli exactement ? Cela intéresserait beaucoup nos lecteurs !

Carter soupira :

– Difficile d'être exact : j'ignore encore bien des choses sur lui... Sa vie est un puzzle dont nous devons réunir les éléments peu à peu. À ma connaissance, Toutankhamon appartenait à la dix-huitième dynastie de pharaons, il a vécu au Nouvel Empire, aux alentours de 1350 avant J C. Son père était le pharaon Akhenaton. Un pharaon hors normes, révolutionnaire !

– Ah oui, je sais ! coupa Alex enthousiaste. Akhenaton a essayé d'imposer une religion monothéiste.

– Exact : il voulait instaurer le culte d'un dieu unique, Aton, le disque solaire, à la place des multiples divinités adorées jusqu'alors en Égypte. Il a détrôné en particulier Amon, le tout-puissant dieu du Ciel. Mais cette nouvelle religion a été très mal accueillie, par le peuple... et par les prêtres qui refusaient de perdre leur pouvoir. Ce fut le chaos ! Après sa mort, Akhenaton est devenu un pharaon maudit.

– C'est donc son fils Toutankhamon qui lui a succédé..., conclut Alex en toute logique.

– Oui, sauf qu'à l'époque il s'appelait Toutankhaton. Ce n'était qu'un enfant, il avait à peine neuf ans. Comme tout petit prince égyptien, il était en âge d'apprendre à manier l'arc, à chasser, à conduire un char, à lire et à écrire… mais il était incapable de gouverner !

– Que s'est-il passé alors ? s'enquit Alex.

– En fait, ce sont le grand prêtre Aï et sa femme Ti, ainsi que le général Horemheb, qui ont tiré les ficelles pour diriger le pays, du moins au début du règne du jeune roi.

– Donc il n'était qu'une marionnette entre leurs mains ? Ou bien a-t-il pris des décisions par lui-même pendant son règne ?

– Mystère…, murmura le savant. Toujours est-il que Toutankhaton a rétabli l'ancienne religion et est devenu Toutankhamon, du nom du dieu Amon. Il a épousé sa demi-sœur Ankhesenamon.

– Mais j'y pense : qui était la mère de Toutankhamon ? s'étonna Alex. Ce ne serait pas la reine Néfertiti, la première épouse d'Akhenaton, si belle dit-on ?

– Mmmh, je vois que malgré votre air candide vous êtes bien informé sur le sujet…, constata Carter. Malheureusement mes collègues égyptologues et moi-même nous ignorons qui était la mère de Toutankhamon. Nous en saurons plus sur lui si un jour par bonheur nous découvrons sa tombe…, lâcha-t-il, en mordillant nerveusement sa moustache.

Son regard se perdit au loin, vers les pentes arides de la Vallée des Rois où quelque part se cachait la tombe secrète de ce roi, à laquelle il tenait tant… Le silence se fit.

Soudain, un miaulement de chat retentit. Il provenait de la tente de Carter. Alex et lui se précipitèrent.

Le chat d'Alex venait de renverser la cage de Tweety, le précieux canari de l'archéologue, pour tenter de le dévorer ! Ce petit oiseau chanteur était devenu, au fil des mois, le porte-bonheur de l'équipe sur le chantier de fouilles, et tous y tenaient beaucoup ! Heureusement, le jeune Ibrahim avait capturé le futur assassin juste avant son crime.

Alex gronda sévèrement Mérérou, l'enferma dans son panier, et, sous le regard furibond de Carter, s'en alla faire une longue promenade solitaire, histoire de laisser passer l'orage…

Chapitre 3

Mauvais présage

Le mois d'octobre 1922 s'écoula vite. Peu à peu, Alex s'était intégré à l'équipe… mais il avait encore du mal à apprivoiser Howard Carter. En tout cas, visiblement, diriger des fouilles dans la Vallée des Rois était le rêve de sa vie, et l'archéologue s'y donnait corps et âme.

Le jeune journaliste aimait observer le travail des ouvriers égyptiens sur le chantier. Et il n'hésitait pas parfois à mettre lui-même un peu la main à la pâte, afin de se rendre utile, ce qui les surprenait beaucoup ! Il avait écrit un article pour son journal décrivant leur travail de fourmi, mais sans être sûr qu'il serait publié : ce n'était pas ces gens modestes qui intéressaient le grand public mais leurs nobles ancêtres…

Les ouvriers étaient une centaine, une vraie armée, affairés à creuser le sol à coups de pioche. Ils en retiraient le sable et les pierres, vérifiant au passage d'un œil expert qu'aucune pierre ne porte de hiéroglyphes – écriture réservée à tout ce qui était sacré, donc signe qu'une tombe royale pourrait être proche. Ils remplissaient de débris des paniers entiers, que d'autres ouvriers transportaient à dos d'homme ou d'âne, tel le jeune Ibrahim, pour aller les vider dans les wagonnets d'un petit train qui emportait les gravats loin du chantier. Tout cela dans la poussière et sous un soleil implacable, la tête protégée par leurs turbans, et les pieds nus. Certains chantaient pour se donner du courage. Ahmed, lui, dirigeait tout ce monde d'une main de maître.

Depuis le début des fouilles, cinq ans auparavant, ces hommes avaient déplacé des milliers de tonnes de pierres et de sable : une tâche colossale !

Ce qui était étrange, c'est qu'Alex percevait souvent un malaise en eux. Mais il avait beau interroger Ahmed et Ibrahim, qui parlaient anglais, pas moyen d'en savoir la cause…

Carter, de son côté, surveillait les opérations, indiquant où fouiller, espérant sans cesse l'annonce d'une découverte qui ferait palpiter son cœur. Il avait choisi la zone environnant les tombeaux de Ramsès II, Ramsès VI… et d'un mystérieux pharaon dont le nom avait été effacé et le masque d'or arraché, comme s'il avait été maudit : Akhenaton très probablement ! Son fils Toutankhamon pouvait donc ne pas être loin…

Le prédécesseur de Carter, l'archéologue américain Theodore Davis, avait d'ailleurs déniché au cours de ses fouilles quelques objets éparpillés, marqués du nom de Toutankhamon : une coupe en faïence cachée sous une pierre, un coffret renfermant des feuilles d'or… Mais Davis était sûr qu'on ne trouverait plus rien dans la Vallée des Rois. Carter, lui, était persuadé du contraire !

Le 1er novembre 1922, Alex arriva très tôt sur le chantier. Son chat l'avait réveillé en bondissant sur un scarabée dans sa chambre d'hôtel, puis s'était rendormi sur le lit, ventre en l'air.

L'aube se levait à peine, le vent froid du désert soufflait, faisant claquer les toiles du campement qui abritait Carter et son équipe durant la journée. Carter, déjà là lui aussi, était grimpé sur un promontoire et fixait la vallée rocailleuse d'un air songeur.

Soudain, un léger bruit à l'intérieur de la tente de Carter attira son attention, comme un frôlement. Étrange, puisque l'archéologue n'y était pas ! Alex glissa un œil dans la tente… et ce qu'il vit le glaça d'effroi : un cobra s'était faufilé en cachette dans la cage de Tweety le canari, et était en train de le dévorer !

Alex détestait les serpents, surtout ceux au venin mortel ! Il sentit ses jambes devenir toutes molles, mais fit malgré tout un pas vers le cobra en agitant les bras.

– Pshiii ! Va-t'en, sale bête !

Sous la menace, le cobra engloutit vite sa proie et se dressa face à lui en déployant sa coiffe, prêt à cracher son poison.

Vaillant mais pas suicidaire, Alex battit en retraite et donna l'alerte.

Carter fut attristé de la perte de son petit compagnon. Les ouvriers, eux, murmurèrent entre eux, l'air sombre. Ahmed, tout pâle, expliqua :

– C'est un très mauvais présage ! Le cobra était un serpent sacré qui protégeait les pharaons contre leurs ennemis ! Il a tué l'oiseau porte-bonheur. Les hommes disent que l'esprit d'un pharaon mort est en colère, parce qu'on cherche à pénétrer sa tombe et à troubler son repos éternel !

– C'est ridicule, superstitions que tout cela ! intervint Carter sèchement. Le cobra est un symbole de la force destructrice du pharaon, en effet, mais il ne faut pas le prendre au pied de la lettre ! Et puis c'était il y a trois mille ans, nous sommes au XXe siècle, voyons !

Alex pourtant était troublé. Le soir, il rédigea un article pour le *Times*, contant cet étrange évènement. Il le conclut par ces réflexions :

« Après tout, ces hommes n'ont peut-être pas tort ? A-t-on le droit, au nom de la science, de profaner des tombes où les morts reposent en paix depuis des millénaires ? Surtout des morts aussi prestigieux et puissants que les pharaons d'Égypte ! Comment savoir si leur âme ne rôde pas encore par ici et si elle n'est pas prête à venir se venger de ce sacrilège ? On sait que les tombes de ces grands rois sont remplies de trésors, mais on dit que celui qui trouve de l'or trouvera aussi la mort… »

Il frémit, rangea sa machine à écrire. Puis il se ressaisit intérieurement :

« Allons, soyons réaliste : ce cobra avait juste faim et il a déniché une proie facile, c'est tout ! En tout cas, je sais maintenant ce qui tracassait l'équipe. Je rédigerai un article à ce sujet pour le journal… »

Malgré ses efforts pour chasser ses craintes, cette nuit-là, le jeune journaliste fit un cauchemar effroyable : il voulait se coucher dans son lit, mais une momie noirâtre s'y trouvait déjà. Elle se précipitait sur lui en ricanant de toutes ses mauvaises dents, et le griffait avec ses ongles acérés. Alex se défendait, mollement, comme s'il pesait des tonnes, il arrachait les bandelettes de la momie… et un énorme cobra apparaissait au-dessous, qui lui crachait du venin au visage avec une haleine fétide. Alors le corps d'Alex devenait sec comme du carton et tombait en poussière…

Les jours suivants, les fouilles continuèrent. Mais depuis l'attaque du cobra, disparu comme par enchantement après son méfait, les ouvriers étaient tendus et étrangement silencieux. Alex captait par moments leurs regards lourds d'inquiétude.

Carter, lui, n'en avait cure. Il venait de persuader son ami lord

Carnarvon, l'aristocrate britannique qui finançait ses fouilles et vivait en Angleterre, de continuer les recherches dans la Vallée des Rois une saison de plus. Malgré le peu de réussite de l'entreprise, pas question d'abandonner son rêve !

De temps à autre, il se mettait à rouspéter contre Alex, dont la présence l'importunait et dont il ne voyait décidément pas l'utilité dans sa mission scientifique.

Le 5 novembre, enfin, un évènement eut lieu. Et grâce à Alex, ou plus exactement à son chat… Mérérou était parti une fois de plus inspecter les alentours du chantier de fouilles. Au bout de deux heures, inquiet de ne pas le voir revenir, Alex partit à sa recherche. Avec cette histoire de cobra rôdant dans les parages, il n'était pas tranquille pour son chat !

Il le découvrit près de la tombe de Ramsès VI, au creux d'une crevasse, occupé à guetter une alléchante gerboise, souris bondissante du désert, réfugiée dans son terrier.

– Laisse-la tranquille, Mérérou, espèce de ventre à pattes !

En récupérant son chat, Alex remarqua un objet émergeant du sol près du terrier : c'était une jarre en terre cuite. Intrigué, il alerta aussitôt Ahmed qui fit déterrer la jarre. Surprise : elle contenait des sceaux d'argile au nom de Toutankhamon, ainsi que des colliers de fleurs et autres objets employés lors des cérémonies funéraires.

– Du matériel utilisé pour les funérailles de Toutankhamon ! s'exclama d'une voix blanche Howard Carter, qui s'était précipité auprès d'eux. Mon Dieu, sa tombe est peut-être tout près !

Après un moment de réflexion, l'archéologue ordonna qu'on fouille cette nouvelle zone, en particulier au-dessous du tombeau de Ramsès VI, là où se dressaient autrefois les cabanes des ouvriers ayant creusé la tombe de ce pharaon, mort deux siècles après Toutankhamon.

Aussitôt, les hommes se mirent à retourner la terre avec ardeur, et à dégager les amas de pierres que les ouvriers de l'Antiquité avaient extraites en creusant le tombeau de Ramsès VI.

Bientôt... miracle ! une marche apparut, puis une deuxième... Un escalier plongeait dans les profondeurs de la terre. Au soir, une douzième marche fut atteinte et le haut d'une porte apparut, scellée par du plâtre orné de symboles.

Carter les examina.

– Qu'est-ce que c'est ? demanda Alex dévoré de curiosité.

– Un sceau royal, répondit Carter dans un souffle. C'est un cachet officiel apposé sur la porte d'un tombeau par les responsables de la Vallée des Rois de l'époque. Voyez : il représente le dieu Anubis dominant les neuf prisonniers ennemis de l'Égypte. Il est là depuis des millénaires, cette porte n'a pas été ouverte depuis, vous rendez-vous compte ! Il y a là un tombeau oublié, dissimulé sous celui de Ramsès VI !

Sa moustache frémissait d'émotion.

Un murmure parcourut l'équipe des ouvriers. Certains semblaient très excités à la vue de cette découverte, d'autres beaucoup plus soucieux...

Alex, gagné lui aussi par l'émotion, insista tout en touchant du bout des doigts le fameux sceau :

– C'est fascinant… Est-ce le tombeau de Toutankhamon, monsieur Carter ?

– Je l'ignore. Et retirez vos pattes de là, ne voyez-vous pas combien ce sceau est précieux ? Cependant, euh… je vous remercie d'avoir permis cette découverte.

Incroyable ! Un remerciement de la part de Carter ! Alex en était stupéfait.

Il était tard, la nuit tombait, et malgré son impatience, l'égyptologue décida de reboucher en partie l'entrée du mystérieux tombeau et de la faire garder. Il fallait être prudent, des pilleurs de tombes rôdaient toujours à cette époque ! Il eut du mal toutefois à convaincre des ouvriers de confiance de passer la nuit là, seuls sous la lune, près de cette porte que nul en principe n'avait eu le droit de franchir depuis la nuit des temps et dont on ignorait ce qu'elle protégeait…

Chapitre 4

Malédictions

Le 6 novembre, dès le lendemain de la découverte, Howard Carter envoya un télégramme à lord Carnarvon, en Angleterre : « Merveilleuse découverte dans la Vallée. Tombe superbe avec sceau intact. Attends votre arrivée pour ouvrir. Félicitations ! »

Il s'empressa aussi de contacter son ami ingénieur et architecte Arthur Callender, qui l'avait assisté plusieurs fois au cours de ses fouilles précédentes. Carter l'invitait à venir le rejoindre d'urgence pour l'aider, ce qu'il fit. Alex, de son côté, avertit fébrilement son journal des derniers évènements.

Environ deux semaines plus tard, le 23 novembre, après un interminable voyage en bateau, train et dos d'âne, lord Carnarvon débarqua enfin dans la Vallée des Rois. Alex remarqua qu'il était encore plus élégant que Carter : costume, cravate, chapeau et canne !

Issu d'une famille noble et très riche, grand voyageur, collectionneur de beaux objets, lord Carnarvon était un passionné d'Égypte. Il avait eu un grave accident de voiture, dont il ne s'était remis que partiellement, et gardait depuis une santé fragile. Une longue amitié le liait à Carter.

Le comte, âgé d'une cinquantaine d'années, était accompagné de sa fille lady Evelyn Herbert, sa fidèle collaboratrice lors de ses expéditions. Alex trouva la jeune femme très chic elle aussi, dans son tailleur gris, très joyeuse… et surtout très charmante. Mais il savait qu'elle était fiancée et n'avait aucune chance !

Carter bouillait d'impatience de dégager l'entrée du tombeau. Il s'y attela dès l'arrivée du comte, assisté de Callender, grand homme aux épaules larges et au sourire timide. Sous le regard de ses invités et d'Alex, la porte plâtrée au bas de l'escalier fut entièrement dégagée… et d'autres sceaux apparurent, couverts de hiéroglyphes : ils portaient les différents noms de Toutankhamon, formant son titre officiel.

– Cette fois, plus de doute ! se réjouit Carter.

Son sourire toutefois se crispa lorsqu'il réalisa que la porte portait des traces de réparation.

– Qu'est-ce que ça signifie ? s'enquit timidement Alex.

– Nous verrons, répliqua Carter.

Carter dessina les sceaux avec précision, puis la porte fut cassée par des ouvriers, dévoilant un couloir en pente douce à peine plus haut qu'un homme. Il était empli de terre et de pierres blanches, du sol au plafond, mais étrangement le coin supérieur gauche était bourré de pierres sombres, nettement différentes.

– C'est bien ce que je craignais, lâcha Carter entre ses dents. Le tombeau a été profané par des pillards, puis rebouché pendant l'Antiquité ! Voyez : les voleurs ont creusé un tunnel au-dessus du couloir, qui avait été rempli de gravats pour bloquer le passage. Leur tunnel a été rebouché par la suite avec d'autres pierres beaucoup plus sombres.

– Mais alors… si des pillard sont entrés, le tombeau est peut-être vide ? souffla lord Carnarvon avec anxiété.

– Hélas, c'est possible !

Alex eut une soudaine inspiration et fit une remarque :

– N'y avait-il pas des pièges pour déjouer les voleurs ?

– Ça, ce sont des histoires pour les enfants ! s'amusa lady Evelyn Herbert.

Alex se tut, vexé.

Bientôt les ouvriers se mirent à dégager le couloir, sous la direction d'Ahmed. Ce dernier était nerveux.

– C'est dangereux, confia-t-il à Alex en tâtant les parois. On ne sait pas si le plafond et les murs sont solides après tous ces siècles, ça peut s'effondrer ! Et puis… les hommes sont inquiets depuis l'attaque du cobra.

Il n'en dit pas plus.

À la lueur des lampes électriques placées là, le déblaiement continua. Peu à peu, on découvrit parmi les gravats des vases, des rasoirs en bronze, des bijoux, ainsi qu'une statuette représentant la tête d'un jeune garçon – Toutankhamon probablement.

– Les pillards se sont visiblement interrompus, constata Carter, songeur. Et ils ont pris la fuite en abandonnant tout cela derrière eux.

– Interrompus ? Mais pourquoi ? s'étonna Alex.

– Sans doute ont-il été surpris par quelque chose, ou bien ont-ils eu peur…

– Peur ?

À cet instant, les lampes grésillèrent et s'éteignirent. L'obscurité engloutit le couloir. Alex crut sentir un souffle glacé mordre son visage, et tous ses poils se hérissèrent. Ce tombeau, cette obscurité soudaine, une momie sans doute tapie tout près, hideuse, sournoise… cela lui rappelait de mauvais souvenirs ! Pourquoi s'était-il embarqué dans cette aventure ? Quelle idée ! Surtout ne pas se mettre à hurler, ce serait la honte de sa vie…

– Ce n'est rien, une petite panne électrique, nous allons réparer ça, annonça Carter d'une voix ferme.

En effet, la lumière revint bientôt, au grand soulagement d'Alex. À cet instant, le jeune Ibrahim, qui avait dû remarquer son malaise, glissa un petit objet entre ses doigts : c'était un œil d'Horus.

– Prends cet « oudjat » et porte-le sur toi, lui chuchota le garçon. Il te protégera si tu entres dans ce tombeau. Moi, je n'irai pas !

Le garçon disparut. Il avait dû dénicher ce talisman antique parmi les débris du couloir.

Alex hésita. Ce n'était pas très correct de garder pour lui cette trouvaille ! Après réflexion, il accrocha discrètement le pendentif à son cou. Après tout, « prudence était mère de sûreté », comme disait sa chère tante Brenda…

Le lendemain, 26 novembre 1922, les ouvriers finirent de dégager le couloir. Ils mirent au jour une deuxième porte, scellée par des pierres plâtrées comme la première. Elle aussi portait les sceaux du pharaon Toutankhamon.

Carter, Callender, Carnarvon, sa fille et Alex étaient présents, ainsi que M. Engelbach, l'inspecteur des Antiquités, qui représentait le gouvernement égyptien. Alex retint son souffle : cette fois, on était tout près du but…

D'un geste sûr, contrôlant son émotion, Carter commença à transpercer le haut de cette deuxième porte, inviolée depuis des millénaires. Des murmures parcoururent le groupe des ouvriers, visiblement alarmés.

– Que se passe-t-il ? s'enquit l'archéologue.

– Ils disent qu'il y a des malédictions inscrites sur les portes des tombeaux comme celui-ci… expliqua Ahmed, les sourcils froncés.

– C'est… c'est vrai ? demanda Alex, inquiet.

– C'est rare, mais c'est le cas par exemple à l'entrée du tombeau du noble Hirkhouf, à Assouan, précisa le directeur des Antiquités.

– Exact, dit Carter en tentant de garder son calme, car il mourait d'envie de percer le secret de la porte scellée. Il y est écrit « Si quelqu'un d'impur se présente, il sera châtié. » Mais il y a autre chose ensuite : « S'il est pur, il sera béni par les dieux ! »

– Tout ça n'est pas très rassurant, murmura Alex pour lui-même.

– Ne me dites pas que vous avez peur du surnaturel ? ironisa lady Evelyn. Un journaliste a les pieds sur terre, que je sache !

– Non, bien sûr, mais…

– Les mises en garde concernent les pillards, et nous ne sommes pas des pillards ! s'exclama lord Carnarvon. Nous agissons pour la science, la connaissance !

– De toute façon, il n'y a aucune malédiction inscrite ici, coupa Carter. Tu peux rassurer tes hommes, Ahmed !

Carter se remit au travail en mordillant nerveusement sa moustache. Mais soudain un grondement rauque, effrayant, perça le silence :

– Môaôôô !

Cela provenait de l'entrée du couloir derrière eux, baignant dans la pénombre. Tous sursautèrent… sauf Alex. Il avait reconnu le miaulement de guerre que son chat poussait face aux adversaires de son espèce pour les impressionner !

Le journaliste fit demi-tour et découvrit en effet Mérérou à l'entrée du couloir, métamorphosé en boule de poils hérissé, face à un autre chat grondant sourdement lui aussi. D'un geste, Alex chassa l'intrus, puis il prit Mérérou dans ses bras.

– C'est toi, bandit, qui nous effraies comme ça ? Et qu'est-ce-qui t'a pris de me suivre ici ?

– Votre chat commence à me taper sur le système, monsieur Snooper ! dit Carter.

– Je… je m'excuse, balbutia Alex.

– Toutefois je lui pardonne, car c'est un peu grâce à lui que nous avons trouvé cette cache secrète, ajouta l'égyptologue en souriant discrètement sous sa moustache. De plus, le chat était sacré pour les Égyptiens de l'Antiquité. Savez-vous qu'il avait le grand privilège d'être momifié ?

À l'idée de son compagnon transformé en abominable momie, Alex eut un frisson de dégoût. Mais le premier sourire de Carter à son intention était un point positif dans cette affaire…

De son côté, l'archéologue avait fini de percer une ouverture à travers la porte.

– Soyons prudents, dit-il.

Il enflamma une bougie et la glissa dans le trou.

– Que fait-il ? s'étonna Alex.

– Il détecte la présence de gaz toxiques, expliqua Callender, l'assistant de Carter. Des lieux clos depuis des siècles, comme celui-ci, peuvent en contenir. Au contact d'un gaz dangereux, la bougie s'éteindra.

Ce ne fut pas le cas : l'air était donc respirable. Carter élargit le trou, et à la lumière vacillante de la flamme, scruta l'espace sombre qui s'ouvrait derrière la porte.

Dans son dos, tous retenaient leur souffle. Le silence était palpable.

– Vous voyez quelque chose ? s'enquit lord Carnarvon, qui n'en pouvait plus de ce suspense.

– Des merveilles ! répondit Carter médusé. C'est... c'est fabuleux !

Il alluma une torche, et à tour de rôle tous purent apercevoir l'intérieur de la tombe royale : elle était emplie de trésors étincelants !

Chapitre 5

Seul dans le tombeau aux trésors

Pénétrer à l'intérieur du tombeau de Toutankhamon fut un moment extraordinaire pour les cinq visiteurs – et pour Howard Carter ce fut le plus beau jour de sa vie, après tant d'années d'effort ! Son regard était troublé par les larmes. Alex aussi était très ému.

– Dire que personne n'est entré là depuis des millénaires, c'est incroyable ! observa-t-il en mettant un pied dans la salle obscure.

Ce qui le frappa d'abord fut l'odeur très forte d'humidité qui régnait là. L'atmosphère était suffocante.

Il ouvrit grand les yeux, et, comme ses compagnons, admira

en silence le spectacle qui s'offrait à lui, jaillissant de l'ombre sous la lueur de la torche électrique. Dans la longue salle où ils se trouvaient, des centaines d'objets précieux, destinés au pharaon dans sa vie après la mort, étaient empilés : des coffres magnifiquement décorés de scènes de batailles, une boîte noire d'où surgissait un serpent doré, des chars de guerre tout en or, incrustés de pierres et démontés, des chaises, un trône en or orné de six cobras, de très nombreuses cannes, des vases, des arcs sculptés avec une extrême finesse, des statuettes de serviteurs, des colliers scintillants, d'étranges boîtes en forme d'œuf…

Le long du mur se dressaient trois lits dorés en forme de vache, de lionne et d'une sorte d'hippopotame, aux corps étirés.

– Une tombe et un trésor intacts, c'est unique ! chuchota Carter d'une voix tremblante. Une des plus formidables découvertes archéologiques de tous les temps !

– Mais oui, c'est vrai, les voleurs n'ont rien emporté ! constata Alex.

Il avait parlé bas lui aussi, comme pour ne pas troubler ce lieu sacré.

– Erreur, jeune homme ! objecta Callender. Regardez : les malfaiteurs ont mis du désordre et pris de petits objets faciles à transporter : des bijoux, des huiles précieuses, du linge… Ici il manque des pointes de flèches. Mais ceux qui ont remis de l'ordre après leur fuite précipitée ont bâclé le travail !

Alex nota qu'une fine poussière voletait, et que des colonies de moisissures tapissaient les murs, d'où cette odeur d'humidité.

« Pas très sain comme endroit », songea le journaliste.

Lady Evelyn intervint, l'air déçu :

– Mais il n'y a pas de sarcophage ! Où est la momie ?

– En effet, cette pièce semble être une antichambre, une sorte de hall d'entrée, précisa Carter. Notre momie doit être cachée dans une chambre funéraire à part. Peut-être derrière cette porte…

Tous les regards se tournèrent vers la mystérieuse porte scellée qu'il désignait au fond de l'antichambre. De part et d'autre, deux statues se faisaient face. En bois noir et doré, une canne et une massue en main, elles montaient la garde. Leur regard sombre semblait fixer sévèrement les visiteurs et Alex frissonna :

– Brrr, impressionnants ces gardes !

Lady Evelyn éclata de rire.

– Décidément, Alex, vous êtes le roi des froussards ! Je parie que vous ne tiendriez pas plus de dix minutes tout seul dans ce tombeau !

Piqué au vif, Alex répliqua sans réfléchir :

– Vous plaisantez, je pourrais y rester toute une nuit si je voulais !

– Vraiment ?

Elle ne semblait pas convaincue. Qu'à cela ne tienne ! Blessé dans son amour-propre, Alex releva aussitôt le défi. Avec l'accord de Carter, surpris mais amusé, le journaliste se laissa enfermer, seul, dans le tombeau, ce soir-là. On coupa l'électricité mais on lui laissa une torche, une couverture, du thé chaud et des sandwiches.

En cas de besoin, il pourrait toujours appeler les gardes à l'entrée. Lord Carnarvon plaisanta en lui annonçant qu'il serait fouillé le lendemain matin, au cas où il tenterait de voler quelques trésors… s'il survivait à l'attaque de la momie ! En le quittant, Ahmed lui souffla qu'il était fou.

Il faisait froid dans le tombeau, et vraiment sombre, malgré la torche. Entortillé dans sa couverture, Alex s'installa dans l'antichambre, assis sur un coffre près du trône d'or, la torche allumée posée sur ses genoux. Sa lueur projetait aux murs des ombres monstrueuses… dans lesquelles le jeune homme reconnut avec soulagement les animaux étranges qui décoraient les lits funéraires.

Le silence était lourd, l'humidité et la poussière prenaient à la gorge. Alex sirota son thé, tout en surveillant du coin de l'œil les deux sentinelles de bois postées près de la porte scellée. Il frémit : au-delà se trouvait sans doute le sarcophage contenant la momie de Toutankhamon, une momie hideuse, peut-être furieuse d'être dérangée… et aussi, qui sait ? une armée grouillante de momies guerrières, à ses ordres, prêtes à fracasser la porte et à ramper sournoisement vers lui dans le noir !

– Allez, ressaisis-toi mon vieux, tu n'as plus dix ans ! se dit-il à voix haute.

Sa voix était faible et résonnait étrangement. Pour s'occuper l'esprit, Alex inspecta des yeux la multitude de trésors flamboyants accumulés autour de lui. Fabuleux ! Dommage qu'il lui soit strictement interdit de les toucher.

Soudain, il crut voir une des statues remuer un bras. Il se figea. De longues minutes s'écoulèrent. Mais non, voyons, elle ne bougeait pas ! Toutefois, il lui sembla percevoir un léger grattement quelque part… Instinctivement, il serra l'œil protecteur d'Horus à son cou, offert par Ibrahim. Quelle folie de s'être fait enfermer là-dedans ! Qu'est-ce-qui lui avait pris ?

Nerveux, il se leva pour se dégourdir un peu, enjamba maladroitement les roues en or d'un char, heurta un tabouret… et perdit l'équilibre. Il plongea nez en avant sur le sol… et se rattrapa de justesse.

– Ouf, je n'ai rien abîmé ! soupira-t-il.

À cet instant, son sang se glaça dans ses veines : tout près de sa main gauche se tenait un gros scorpion, son aiguillon mortel dressé vers lui ! Au moindre mouvement brusque, la bête le piquerait. Alex resta immobile, durant ce qui lui parut des siècles. Son cerveau, lui, fonctionnait à toute allure. Enfin, imperceptiblement, il souleva la main droite, puis tout le bras. Très lentement il saisit une canne posée là, la souleva, centimètre par centimètre. Le scorpion ne réagit pas. Alors d'un geste vif, Alex abattit la canne et l'écrasa d'un coup, frôlant ses propres doigts.

Il se releva en titubant, un ruisseau de sueur dégoulinant dans son dos. Il l'avait échappé belle ! Mais d'où sortait ce scorpion ? Impossible qu'il ait vécu enfermé dans ce tombeau. Il avait dû s'y faufiler lors de l'ouverture. C'était une sale bête, mais en bon égyptologue amateur il se rappela que les Égyptiens d'autrefois adoraient la déesse Selkis, moitié scorpion et pourtant bienveillante... Et puis, peut-être son œil d'Horus l'avait-il préservé de l'attaque ?

Pour reprendre des forces, le journaliste dévora un sandwich. Il se sentait épuisé soudain. Il se coucha avec précaution sur le lit en forme de vache, après avoir vérifié qu'aucun scorpion, serpent ou autre ne s'y tenait. Au passage, il remarqua une porte basse, cachée derrière le lit, et en partie trouée. Il faudrait qu'il la signale à Carter !

Il se détendit dans son lit de bois, même s'il était très inconfortable trouva-t-il. Tout était calme, le silence était apaisant. Il songea à la momie royale, dans la pièce voisine, allongée là paisiblement depuis des millénaires. Il la respectait profondément. Il eut alors la conviction qu'elle n'avait aucune raison de lui faire du mal, c'était absurde ! Eh non, les morts ne revenaient pas dans le monde des vivants ! Étrangement, le fait d'avoir eu peur d'un danger bien réel avait en partie chassé ses peurs du surnaturel. Toutefois, avant de sombrer dans le sommeil, il caressa une dernière fois son précieux œil d'Horus suspendu à son cou.

Au petit matin, l'équipe le retrouva relativement souriant et détendu, après une courte nuit de sommeil. Lady Herbert n'en revenait pas. Admirative, elle lui offrit un doux baiser sur la joue, qui le mit de bonne humeur pour toute la journée !

Quel progrès : il avait gagné son pari, épaté toute l'équipe et presque surmonté sa vieille peur ! Seul point noir : il avait perdu son précieux œil d'Horus, tombé dans la nuit, pendant son sommeil, impossible de le retrouver.

Ce jour-là, on entreprit de vider l'antichambre de tous ses fragiles trésors. C'était la première chose à faire avant d'explorer la deuxième salle – sans doute la chambre funéraire abritant la momie du roi. Un travail long et minutieux qui allait durer près de deux mois ! Chaque objet était numéroté, décrit, photographié, nettoyé, protégé…

Heureusement des renforts arrivèrent pour compléter l'équipe de Carter. Parmi eux, trois égyptologues : Arthur Mace, petit homme ingénieux, Hugh Evelyn-White, l'air sombre et soucieux, et James Breasted, vieil homme chaleureux. Il y avait aussi, entre autres, le chimiste Alfred Lucas, très méticuleux, le jovial photographe Harry Burton qui photographia toutes les découvertes, ainsi que le très digne Richard Bethell, secrétaire personnel de Carter.

Alex avait rédigé pour le *Times* un article très enthousiaste sur la découverte du tombeau et de ses trésors. Un vrai scoop, son rédacteur en chef était ravi ! La nouvelle se répandit comme une traînée de poudre. À travers le monde, on ne parla bientôt plus que du trésor de Toutankhamon !

Carter se retrouva brusquement célèbre et fut submergé de télégrammes de félicitations, de propositions d'argent pour visiter le tombeau, y tourner des films, lui acheter des souvenirs… Il reçut aussi d'étranges conseils pour apaiser les esprits, ainsi que des menaces : certains l'accusaient de sacrilège, de voler les trésors, des lettres anonymes lui interdisaient d'ouvir le cercueil du pharaon sous peine d'entraîner la vengeance secrète de ce dernier…

Un soir, un violent orage éclata. Les archéologues craignirent que les pluies fassent monter les eaux et engloutissent le tombeau, mais il n'en fut rien. Un mystérieux télégramme arriva peu après, conseillant de verser devant le tombeau du lait, du vin et du miel, pour éviter d'autres ennuis ! Cela fit sourire Carter. Il ne croyait décidément pas à tout cela !

Ce qui l'amusa moins fut la foule de curieux qui débarquèrent. Certains étaient très connus et il dut accepter de leur faire visiter la tombe, tels le prince égyptien Ali Kamel Bey ou Jay Gould, un solide homme d'affaires américain. Bizarrement celui-ci attrapa un mauvais rhume dans le tombeau.

Mais les visiteurs les plus pénibles pour Howard Carter furent sans conteste les journalistes. Ils l'assaillaient de questions, guettaient les moindres gestes de l'équipe, attendaient des heures sous le soleil que de nouveaux trésors soient dégagés de la tombe pour se ruer dessus. Ils agaçaient beaucoup l'archéologue, qui leur répondait du bout des lèvres… ou leur donnait de fausses informations. Alex non plus n'appréciait guère ces collègues envahissants.

Histoire de donner des informations sensationnelles, beaucoup écrivirent dans leurs journaux qu'il y avait ici des montagnes d'or, des bandits redoutables, des dieux antiques en colère, de grands malheurs à venir…

– C'est n'importe quoi ! enrageait Alex.

Un soir, Carter l'appela auprès de lui :

– Mon petit Alex, j'ai décidé que désormais vous serez le seul journaliste autorisé à couvrir notre expédition. Votre journal en aura l'exclusivité. Je… je vous avais mal jugé, vous êtes sérieux, vous n'êtes pas comme tous ces enquiquineurs ! Qu'ils me fichent la paix !

Alex n'en croyait pas ses oreilles ! Quel honneur, il aurait presque sauté au cou de Carter !

Le 17 février 1923, l'antichambre enfin vidée de tous ses trésors, on put procéder à l'ouverture officielle de cette porte mystérieuse au fond de la pièce. Une vingtaine de personnes étaient présentes, dont des invités officiels en plus de l'équipe habituelle. Tous avaient le cœur battant.

À coups de pioche, aidé de son collègue Arthur Mace, Carter abattit la porte. Une sorte de mur d'or surgit : c'était une « chapelle », un gigantesque coffre de bois couvert de feuilles d'or, haut de trois mètres et qui emplissait presque toute la pièce. Il contenait le sarcophage où reposait la momie de Toutankhamon.

Chapitre 6

Des morts en série

Un très long travail attendait l'équipe de savants et d'ouvriers, dans la chambre mortuaire de Toutankhamon. Pour parvenir à ouvrir l'énorme chapelle et en extraire tout ce qu'elle contenait, près de trois années allaient être nécessaires !

C'est au cours de cette période qu'eurent lieu les premières morts mystérieuses… Tout commença au mois de mars 1923. Lord Carnarvon, piqué par un moustique au cou, coupa cette piqûre par accident en se rasant. La plaie s'infecta. Bientôt il se sentit fatigué et fiévreux. On le soigna, mais il mourut au Caire le 5 avril à deux heures du matin. Phénomène étrange : au moment de sa mort, toutes les lumières de la ville s'éteignirent brusquement, la plongeant dans le noir ! De plus, le bruit courut que, là-bas dans son château en Angleterre, sa chienne se mit à hurler à la mort et mourut comme foudroyée, au même instant que son maître !

La disparition de lord Carnarvon causa un grand chagrin à sa fille Evelyn, qui repartit alors en Angleterre. Carter aussi fut très touché par la mort de son ami, ainsi qu'Alex....

Des rumeurs commencèrent à circuler : cette mort n'était pas naturelle ! Elles s'amplifièrent bientôt, car le mois suivant, en mai 1923, le professeur La Fleur, un archéologue canadien ami de Carter, mourut subitement en venant le voir. Le même mois, Jay Gould, l'homme d'affaires américain qui avait visité le tombeau, mourut à son tour. Puis, le 10 juillet, le prince Ali Kamel Bey, qui avait lui aussi pénétré dans la tombe de Toutankhamon, fut assassiné au pistolet dans un hôtel de Londres. Deux mois plus tard, le 26 septembre 1923, le demi-frère de lord Carnarvon, le colonel Aubrey Herbert, mourut à son tour, à seulement quarante-trois ans, six mois après son frère. Il revenait d'un voyage en Égypte.

Très vite, les journaux à sensation s'emparèrent de l'affaire. Selon eux, toutes ces morts étaient liées, elles étaient dues à la malédiction de Toutankhamon, et celle-ci avait commencé par la mort du canari de Carter. Ils titraient : « La momie malfaisante a encore frappé ! », « La vengeance de l'au-delà » ou encore « Un frisson de terreur parcourt l'Angleterre ! ».

À travers le monde, les gens étaient fascinés par la fameuse malédiction… et terrifiés. L'inquiétude gagna certains égyptologues de l'équipe, en particulier le professeur Hugh Evelyn-White. Il avait été l'un des premiers à entrer dans la chambre mortuaire du pharaon, avec Carter. En mars 1924, il fut pris de malaises. Bientôt, il sombra dans une dépression nerveuse : il devint triste, irritable, fatigué… Un soir il choisit de se donner la mort, laissant une lettre d'adieu qui disait : « J'ai succombé à une malédiction qui m'a forcé à disparaître. »

Alex était très contrarié par le déchaînement médiatique. Lui continuait de raconter scrupuleusement l'exploration du tombeau au *Times*, son journal, sans s'attarder sur les morts. Toutefois, ces évènements le troublaient.

Un jour, hélas, le malheur le toucha directement. Son chat Mérérou vivait désormais avec lui dans la petite maison qu'il louait près de Louxor, l'ancienne Thèbes. Mérérou continuait de vagabonder mais était devenu plus sage avec le temps, et il revenait toujours à l'heure de la sieste, quand la chaleur était intenable. Ce jour-là, il ne revint pas. Alex sentit que quelque chose clochait. Il découvrit son chat sans vie à l'ombre d'un palmier, apparemment empoisonné. Alex en fut bouleversé.

Le soir, il partit marcher seul au cœur de la Vallée des Rois, cherchant le réconfort en ces lieux désertiques et apaisants qu'il avait appris à aimer. À la lueur de la lune, il aperçut une bande de chacals qui rôdaient. L'un d'eux était très particulier, noir, mince, avec de longues oreilles, et il regardait Alex fixement de ses yeux de braise. Le jeune homme tressaillit : ce chacal ressemblait à Anubis, le dieu des Morts !

« Mon dieu, et si c'était quand même vrai, cette histoire de malédiction ? Si l'esprit du pharaon était en colère après nous ? Si Mérérou avait été éliminé lui aussi ? Et moi, je serais peut-être la prochaine victime ? Je suis le seul à avoir passé toute une nuit dans le tombeau ! »

Le lendemain, il confia ses angoisses à Carter.

– Allons, tu ne vas pas tomber dans la folie collective toi aussi ? le raisonna Carter, qui était désormais très proche du journaliste. Garde la tête froide, mon petit Alex, ne crois pas à ces histoires de fantômes. D'ailleurs, en bon journaliste, tu devrais plutôt enquêter sur ces décès et éclairer tes lecteurs…

Carter avait raison. Alex admirait sa force de caractère, son éternel enthousiasme au travail.

Il se mit à enquêter et élucida certains mystères.

Tout d'abord, son chat : le pauvre Mérérou avait probablement croqué un rat intoxiqué par des graines empoisonnées, placées près des réserves de blé par l'un de ses voisins.

La mort de lord Carnarvon : un empoisonnement du sang dû à

son infection, et favorisé par sa santé fragile. Quant à l'extinction des lumières au moment de sa mort : les pannes d'électricité étaient fréquentes au Caire, pure coïncidence ! Pour sa chienne, par contre, pas d'explication claire, mais pas non plus de preuve formelle qu'elle avait succombé pile en même temps que son maître.

Le richissime Frank Jay Gould avait contracté une pneumonie foudroyante, une grave maladie des poumons, suite à son méchant rhume.

Quant au prince Ali Kamel Bey, Alex découvrit qu'il était infidèle. C'était très probablement sa femme qui l'avait assassiné par jalousie, conclusion à laquelle arriva aussi la police.

Enfin, le demi-frère de lord Carnarvon : à quarante ans il était devenu aveugle. Son médecin, un charlatan, pensait que cela était dû à un grave problème dentaire. Il lui fit arracher toutes les dents, persuadé que cela lui rendrait la vue ! En fait, il y eut des complications post-opératoires et le malheureux Aubrey Herbert succomba à une septicémie.

Enfin, Hugh Evelyn-White avait toujours paru triste et secret à Alex : visiblement il n'était pas heureux et avait dû décider d'en finir.

Le *Times* publia le résultat de ses recherches, mais le public s'y intéressa peu : on préférait le mystère !

Peu importe ! Pour compléter son enquête, Alex se documenta historiquement sur différentes « affaires » liées aux momies. Il effectua plusieurs voyages en Angleterre et à Paris, pour consulter des archives. Il apprit qu'en Europe, au XVIe siècle, en pleine

Renaissance, on importait énormément de momies égyptiennes. On les réduisait en une poudre que l'on mangeait et qui avait un grand succès ! Elle était censée guérir de nombreuses maladies et redonner la jeunesse. Le roi François Ier faisait une grande consommation de poudre de momie.

À cette époque, les nobles aimaient aussi exposer des momies chez eux, dans leur sarcophage. Elles fascinaient !

La mode de la poudre de momie disparut puis revint au XIXe siècle. On l'utilisa aussi en peinture, pour fabriquer des pigments appelés « brun-momie ».

Alex était perplexe : quel manque d'égards pour tous ces morts, arrachés à leur paisible éternité ! Et comment pouvait-on consommer de la momie ? Répugnant !

En lisant des archives de journaux au Caire, traduits par son ami Ahmed, il apprit autre chose encore. En 1881, des ouvriers du Service des Antiquités Égyptiennes transportèrent une momie hors de son tombeau. En route, ils firent la sieste à l'ombre, laissant la momie au soleil. Lorsqu'ils revinrent, elle avait bougé : son bras était dressé, en un geste menaçant ! Terreur chez les ouvriers. L'histoire avait fait grand bruit et fait galoper l'imagination des foules.

Dans des revues scientifiques de l'époque, Alex découvrit l'explication rationnelle à cet étrange phénomène. Ce corps momifié n'avait connu pendant des millénaires que l'humidité et la fraîcheur de son abri. Exposé au soleil de midi, il avait réagi :

sa chair s'était desséchée encore plus et rétractée, ce qui avait redressé en partie le bras. Voilà qui soulageait beaucoup Alex : les momies ne bougeaient pas toutes seules !

Toutefois, une autre information sema à nouveau en lui un léger doute : il découvrit que, quelques années plus tôt, Carter avait offert en cadeau à un ami, Bruce Ingham, une main de momie anonyme qu'il avait dénichée au cours d'une fouille. Elle portait un bracelet où, selon le journal, était inscrit : « Malédiction à celui qui touchera à mon corps ! Le feu, l'eau et la peste le frapperont ! » N'y prenant pas garde, l'ami de Carter s'était servi de la main momifiée comme presse-papiers. Drôle d'idée, selon Alex ! Peu après, sa maison brûla. Il voulut la reconstruire… elle fut inondée par une rivière qui n'était jamais en crue.

Alex interrogea Carter au sujet de cette histoire.

– Elle est exacte, affirma-t-il en tiraillant sa moustache nerveusement comme à son habitude. Mais ces évènements étaient naturels, rien à voir avec une malédiction ! Cependant, mon cadeau était de mauvais goût, je l'avoue.

Tout en enquêtant sur les morts mystérieuses, Alex continuait de suivre l'exploration de la chambre funéraire, lieu le plus sacré au cœur du tombeau. Que de découvertes palpitantes au cours de ces deux ans et demi ! Mais le travail était lent, difficile, et la chaleur épouvantable.

On réussit à ouvrir l'énorme chapelle dorée. Elle en contenait trois autres, emboîtées comme des poupées gigognes et magnifiquement décorées. Carter fut soulagé en constatant que ces chapelles étaient intactes, les voleurs ne les avaient pas ouvertes.

La quatrième chapelle contenait un sarcophage rectangulaire de pierre rouge. À chacun de ses angles, une déesse déployait ses ailes pour protéger le défunt. Son couvercle était si lourd qu'il fallut le soulever à l'aide de poulies et de câbles !

Le sarcophage contenait trois cercueils emboîtés eux aussi, en forme de momie. Mais ils étaient collés entre eux par de la résine utilisée lors de l'embaumement. Il fallut les décoller minutieusement.

Quand on y parvint, l'émotion saisit l'équipe : c'était de vrais chefs-d'œuvre ! Le premier cercueil était en bois doré, le deuxième incrusté de pâte de verre colorée, le dernier en or massif ! Tous portaient le visage d'or du pharaon, beau, jeune et paisible... du moins c'est ainsi que les artistes l'avaient représenté. Il portait le némès – la coiffe royale, sur lequel se dressait l'uræus – le fameux cobra. Une barbe postiche était attachée à son menton, symbole de son aspect divin. Et il tenait le sceptre et le fouet, marques de son pouvoir.

Arriva enfin le moment tant attendu : la mise au jour de la momie. Tous bouillaient d'impatience, même Ahmed était nerveux, lui habituellement si calme. Mal à l'aise, Alex chuchota tout bas :

– Mille pardons de vous déranger, noble pharaon...

Étrange : il crut entendre comme un murmure lointain et sentit un souffle glacé sur son cou. Encore une invention de son cerveau certainement ! Il regretta tout de même de ne plus avoir son œil protecteur d'Horus protecteur.

Enfin la momie royale apparut : entortillée de bandelettes, elle portait un masque d'or incrusté de verre et de pierres précieuses, d'une incroyable beauté.

On la démaillota le 11 novembre 1925. Carter, Lucas, Burton et Alex y assistèrent. Avec mille précautions, les professeurs d'anatomie Douglas Derry et Saleh Bey Hamdi dégagèrent et tranchèrent les treize couches de bandelettes pourries qui entouraient le corps.

Plus de cent cinquante amulettes protégeaient la momie. Mais déception : elle était en mauvais état, mal conservée. Surmontant son appréhension, Alex se força à la fixer de près : maigre et noirâtre, elle ne lui parut pourtant pas si répugnante, très digne même… Comme lors de sa nuit au tombeau, il se sentit empli de respect pour elle. Et ses compagnons aussi.

Les jours suivants, la momie fut restaurée et étudiée : autopsie, radiographies… Apparemment, Toutankhamon était mort jeune, à environ dix-huit ans, il mesurait 1,65 m et était mince. L'une de ses jambes était cassée. La cause de sa mort était mystérieuse… Il semblait avoir reçu un coup à l'arrière du crâne. Avait-il été assassiné ?

Cette hypothèse fit frémir Alex, toujours tiraillé entre son côté réaliste et son imagination galopante : l'esprit d'un pharaon assassiné ne devait pas être très aimable…

Toujours est-il que, quelques jours plus tard, il apprit la mort d'Archibald Douglas Reed, le savant qui avait fait les radios de la momie. Un homme pourtant en pleine santé…

Chapitre 7

D'autres morts et beaucoup de suppositions

Au cours de l'année 1926, l'équipe d'archéologues et d'ouvriers explora une troisième salle dans le tombeau de Toutankhamon. Voisine de la chambre funéraire d'où on avait extrait la momie, elle fut surnommée par Carter « la chambre du trésor », car elle contenait des merveilles extraordinaires, les plus belles du tombeau !

On se mit donc au travail pour inventorier ces centaines d'objets précieux : des coffres remplis de bijoux, statuettes en or et objets magiques (en partie pillés par les voleurs de l'Antiquité), des vases, des statues du roi, des maquettes de bateaux déposées là pour permettre les voyages du pharaon dans l'au-delà...

Sur le pas de la porte, une statue d'Anubis semblait monter la garde. Au fond de la pièce se dressait une armoire dorée et sacrée : un tabernacle. Elle contenait quatre vases canopes, en forme de petit sarcophage : ils renfermaient les viscères de Toutankhamon, retirés lors de sa momification.

Dans une boîte en bois ordinaire, on fit une triste découverte : deux minuscules cercueils renfermaient chacun un fœtus momifié. D'après le professeur Derry, il s'agissait de bébés morts à la naissance, sans doute les filles de Toutankhamon et de son épouse (et demi-sœur) Ankhesenamon.

Puis en octobre 1927, on fouilla la toute dernière salle du tombeau. C'était la petite pièce dont Alex avait découvert la porte cachée dans l'antichambre, lors de sa fameuse nuit au cœur du tombeau. Cette annexe était remplie d'un véritable bric-à-brac ! Toutes sortes d'objets y étaient éparpillés et entassés n'importe comment : lits, fauteuils, trône, statuettes, cuirasses, boucliers, javelots, jeu de senet (sorte de jeu de l'oie de l'Égypte ancienne), jarres de vin, paniers de nourriture pour alimenter le pharaon dans sa vie future (pain, viandes, miel, raisins secs, dattes), etc... Il y avait tant d'objets qu'on ne pouvait pas poser un pied au sol !

– Visiblement, cette annexe a été visitée par des voleurs, constata Carter choqué. Ces sacripants y ont mis un désordre effroyable en cherchant des trésors. Un vrai tremblement de terre ! Et personne n'a rangé derrière eux.

Alex, toujours présent lors des fouilles, remarqua une empreinte de pas sur une caisse blanche : sans doute celle d'un voleur, demeurée intacte depuis plus de trois mille ans !

Il s'étonna aussi :

– Comment se fait-il qu'il y ait eu autant de trésors auprès de Toutankhamon ? Si je vous ai bien compris, c'était finalement un roi plutôt modeste et qui n'a pas régné longtemps !

Carter et Callender eurent un même petit rire.

– Figure-toi que ce n'est sans doute qu'un petit trésor, comparé à ceux des grands rois ! expliqua Callender les yeux pétillants. Si seulement on avait pu retrouver celui de Ramsès II !

Des trésors encore plus fabuleux ? Difficile à concevoir pour le jeune journaliste !

Carter fit également remarquer qu'à la réflexion cette tombe n'avait sans doute pas été prévue pour Toutankhamon, car il était mort trop jeune et n'avait pas eu le temps de s'occuper de sa sépulture de son vivant, comme le faisaient tous les pharaons. Les trésors eux-mêmes étaient peut-être en partie ceux de son père Akhenaton, ressortis de son tombeau.

Pendant ce temps, et les années suivantes, la liste noire des morts « mystérieuses » continua de s'allonger… Intrigué, Alex suivait toujours cela de près, tâchant de garder la tête froide.

En 1926, Mary Scott-Arthur, l'infirmière qui avait soigné Lord Carnarvon juste avant sa mort, décéda brusquement, à seulement quarante-deux ans. Cause de sa mort : inconnue. Mais d'après les informations d'Alex, elle était épuisée par son travail.

L'année suivante, Georges Bénédicte, un égyptologue français, mourut brusquement peu après avoir visité le tombeau de Toutankhamon.

En 1928, Arthur Mace, l'archéologue anglais qui avait aidé Carter à abattre le mur de la chambre mortuaire, mourut sans aucune cause apparente.

En 1929, le secrétaire de Carter, Richard Bethell, âgé de 35 ans, fut retrouvé mort dans un lit, dans un club qu'il fréquentait à Londres. Il était jusqu'alors en parfaite santé. Son cœur avait peut-être lâché, mais des rumeurs disaient qu'il avait été étranglé dans son sommeil. Alex ne put obtenir aucune confirmation auprès des enquêteurs.

L'année d'après, le père de Richard Bethell, Lord Westbury, se jeta depuis la fenêtre de son appartement à Londres. Il possédait une collection d'objets égyptiens, mais aucun ne provenait de la tombe de Toutankhamon. La police conclut à un suicide, consécutif à la mort de son fils. Fait étrange : un enfant fut fauché par son corbillard lors de ses funérailles et mourut sous le choc.

En 1930 mourut aussi Edgar Steel : cet homme manipulait les objets antiques au British Museum. Il venait de subir une banale opération de l'estomac.

En 1934, Ernest Wallis Budge, un égyptologue travaillant au British Museum, décéda. Pour Alex, rien de mystérieux : à soixante-dix-sept ans, il était relativement âgé.

Un autre archéologue, James Breasted, s'éteignit en 1935, après sa dernière expédition en Égypte. Lui aussi était âgé, et il n'avait aucun rapport avec les fouilles de Carter.

Au total, cela faisait une quinzaine de morts plus ou moins suspectes, et plus ou moins liées à Toutankhamon… Certains en comptaient même jusqu'à vingt-sept !

Le sujet passionnait les foules, qui frissonnaient à l'annonce de chaque nouveau décès. Des scientifiques, des journalistes, proposèrent différentes explications possibles à ces « morts en série » ou du moins à certaines d'entre elles. Quelques hypothèses étaient sérieuses, d'autres plutôt fantaisistes… Alex les épluchait les unes après les autres et notait sur son gros carnet, en face de chacune, ses réflexions :

« Explications avancées :

1) La vengeance outre-tombe du pharaon ? => Pas tout à fait impossible, mais difficile à prouver.

2) Des gaz toxiques provenant de la décomposition de la momie ? Leurs effets seraient amplifiés par le manque d'oxygène dans la tombe fermée. En effet, à plusieurs reprises, lors de la fouille de tombes rupestres, creusées dans la roche, des chercheurs ont souffert de maux de tête et intoxications, parfois mortelles. => Peu probable, il y aurait eu des malaises et des décès immédiats lors des fouilles.

3) Les objets de collection égyptiens seraient-ils maudits ? Pris de panique, de nombreux collectionneurs les renvoient au British Museum (ravi de récupérer gratuitement des œuvres rares !) => Très peu probable, d'autant que seules quelques personnes décédées en possédaient.

4) Du venin de cobra ? On dit qu'un cobra aurait mordu de nombreux archéologues. => Faux, le seul cobra présent n'a fait qu'une victime : Tweety le canari.

5) Les embaumeurs de l'Antiquité auraient imprégné les bandelettes de la momie d'huile d'amande douce, qui se serait transformée au fil du temps en acide mortel. Inquiets, des hommes politiques demandent une enquête sur la dangerosité éventuelle des momies exposées dans les musées. => Impossible, cet acide tuerait instantanément, alors que les morts s'échelonnent sur des années.

6) Un virus resté captif et endormi depuis 3 000 ans ? => Impossible, un virus ne survivrait pas dans ces conditions : il ne peut pas vivre seul, il a besoin de cellules vivantes !

7) Du blé toxique laissé là par les prêtres égyptiens ? Cela entraînerait « la maladie de l'ergot de seigle », qui provoque frissons suivis de chaleur, délire, douleurs violentes à la tête et aux reins, abcès, etc. jusqu'à la mort. => Impossible car il aurait fallu que tous mangent de ce prétendu blé ! Toutefois, mon brave Mérérou qui me manque tant est sans doute mort intoxiqué indirectement par du blé.

8) Des bougies de cire enduites d'arsenic laissées là par les prêtres ? => Peu probable, il n'y avait aucune trace de bougies dans la tombe.

9) Un champignon toxique qui attaquerait les peintures sur les murs de la tombe ? => Possible, mais on n'en meurt pas en le respirant, sauf si l'on a déjà les poumons en très mauvais état.

10) Un champignon mortel développé dans les fientes de chauves-souris et qui entraînerait une pneumonie, cette très grave maladie des poumons ? => Pourquoi pas, mais il n'y avait pas de chauves-souris dans la tombe de Toutankhamon. »

Face à toutes ces hypothèses, Alex restait perplexe. Plusieurs personnes étaient visiblement décédées d'une soudaine et mystérieuse maladie. Mais la plupart de ceux qui avaient pénétré dans le tombeau et approché la momie n'avaient pas eu de mort violente ! Carter était en pleine forme, ainsi que Callender, lady Evelyn Herbert… et Alex lui-même, malgré sa nuit héroïque, enfermé à l'intérieur ! C'était étrange…

Ce dont il était certain cependant, c'est que les journaux exagéraient largement à propos de ces morts. Certains décès annoncés n'avaient aucun rapport avec la découverte du tombeau du pharaon ! De plus, mises ainsi bout à bout, toutes ces morts paraissaient suspectes, mais la plupart étaient éloignées dans le temps. Cela pouvait être de simples coïncidences après tout !

Il discuta avec des confrères travaillant pour des journaux à sensation. Ils lui avouèrent – ce dont Alex se doutait ! – que comme les droits d'exclusivité sur le tombeau de Toutankhamon lui avaient été accordés, ils s'étaient emparés de la mort de Carnarvon dès le début pour orchestrer la légende d'une malédiction. Leurs lecteurs en raffolaient et leurs journaux se vendaient comme des petits pains !

Plusieurs journalistes reconnurent s'être inspirés d'un livre célèbre de Marie Corelli, une romancière extravagante spécialiste des histoires occultes, surnaturelles. Elle y évoquait le châtiment des pilleurs de tombes : « La mort touchera de ses ailes rapides celui qui troublera la paix du pharaon ! » « Toute intrusion imprudente dans une tombe scellée sera suivie du plus terrible des châtiments ! ».

Même l'écrivain Arthur Conan Doyle, le créateur du fameux détective Sherlock Holmes, participa à cette « folie de la momie », cette « fièvre de la malédiction ». Fasciné par la magie, les mystères, il affirma que les prêtres de l'Égypte ancienne avaient jeté des sorts magiques pour protéger la sépulture du jeune pharaon.

Résultat : cette histoire de malédiction était donc de la pure invention ! Mais une part de mystère demeurait tout de même sur ces morts… ainsi que sur la mort de Toutankhamon autrefois…

En 1930, les derniers objets furent sortis du tombeau du pharaon (il y en avait eu trois mille cinq cent en tout !). Après huit années de travail intense, l'exploration archéologique prit fin.

Howard Carter avait accompli le rêve de sa vie, et demeurerait à jamais célèbre.

Alex fit ses adieux à l'équipe. Pour la première fois, Carter le serra chaleureusement dans ses bras.

– Bonne chance pour la suite de ta carrière, et encore bravo pour ton travail, mon petit Alex !

Alex en fut tout ému. Le cœur serré, il quitta aussi ses amis Ahmed et Ibrahim – qui avaient bien grandi.

Le trésor de Toutankhamon, son sarcophage et sa momie furent exposés au musée du Caire en Égypte, où ils allaient désormais demeurer, pour le plus grand plaisir des visiteurs du monde entier.

La veille de son départ pour Londres, deux évènements étonnants eurent lieu. Au moment de s'endormir, Alex perçut un faible miaulement à l'extérieur de sa maison près de Louxor. Il sortit : un chaton noir comme la nuit se tenait sur le pas de la porte, visiblement perdu et affamé. Il ressemblait trait pour trait à Mérérou, avec la même tache blanche en forme d'étoile sous le menton. Troublé, Alex décida aussitôt de le recueillir et de le ramener avec lui en Angleterre. D'ailleurs le chaton ronronnait déjà au creux de ses mains, confiant, comme s'il le connaissait.

Lorsqu'il regagna sa chambre avec son nouveau compagnon, Alex fut stupéfait : au creux de sa valise posée là, sur son lit, se trouvait… l'œil d'Horus, le bijou protecteur qu'il avait perdu lors de sa nuit dans le tombeau de Toutankhamon ! Comment était-il arrivé là ? Il ne le sut jamais…

Chapitre 8

Explication finale

Ce 20 décembre 1985, Alex poussa un profond soupir de soulagement. Après deux mois d'écriture intense, le vieil homme venait enfin de terminer la rédaction de son livre. Ce fameux livre racontant tout ce qu'il avait vécu aux côtés de Howard Carter et son équipe, lors de la découverte du tombeau caché de Toutankhamon. Ce précieux livre détaillant aussi l'enquête qu'il avait menée, en journaliste consciencieux et passionné, pour tenter d'éclaircir le mystère des morts suspectes qui y semblaient liées.

Malgré sa fatigue, il était satisfait d'avoir mené à bout son projet, heureux d'avoir replongé durant toutes ces semaines dans cette période si riche, si lumineuse, de son passé, soixante ans auparavant, et fier d'avoir conservé sa mémoire intacte. De toute façon, à quatre-vingt-cinq ans, comme disait miss Jenny, sa dame de compagnie, il regardait plus vers son passé que vers son avenir…

De plus, il détenait enfin la clé de l'énigme, du moins en partie. Il sourit en relisant la dernière page qu'il venait de taper sur sa machine à écrire :

« C'est au moment où je boucle ce récit que le voile est enfin levé sur une bonne part de la prétendue malédiction de Toutankhamon. Le docteur Caroline Stenger-Philipp, un médecin français, a fourni une explication à certaines morts mystérieuses : les coupables sont des restes d'aliments, confinés dans la tombe de Toutankhamon depuis trois mille ans. Au fil des siècles, cette nourriture, destinée au pharaon pendant son voyage vers l'éternité comme je l'expliquais auparavant, s'est décomposée. Et elle a formé de la moisissure, c'est-à-dire des champignons microscopiques, ainsi que des particules de poussière, qui peuvent provoquer une très forte réaction allergique. (Je rappelle que l'atmosphère dans le tombeau était difficilement respirable, tant elle était humide et poussiéreuse, je me souviens encore de cette odeur âcre qui prenait à la gorge !) Ces particules, une fois respirées, ont provoqué un choc allergique suivi d'une pneumonie aiguë… entraînant une mort foudroyante chez certaines personnes, probablement les plus fragiles au niveau des poumons. Ce serait le cas par exemple pour le milliardaire Jay Gould, les professeurs La Fleur, Arthur Mace ou Georges Benedicte.

Toutefois de nombreux visiteurs ont parfaitement résisté à ces champignons. Howard Carter s'est éteint bien des années après l'ouverture du tombeau, en 1939, à l'âge de soixante-cinq ans. Son photographe, Harry Burton, l'a suivi de près. Son assistant Arthur Callender, est mort peu avant, en 1936, de mort naturelle. Le professeur Douglas Derry, qui avait incisé la momie, est décédé à plus de quatre-vingts ans. Et lady Evelyn-Herbert s'est éteinte il y a quelques années, en 1980. Quant à moi, je suis encore bien fringant pour mon âge, malgré tout ce temps passé dans le tombeau du pharaon, dont cette nuit mémorable ! La malédiction de Toutankhamon est donc bel et bien une légende ! »

Songeur, Alex reposa sur son bureau la dernière page dactylographiée de son livre. Certaines morts toutefois demeuraient énigmatiques, comme celle du professeur Hugh Evelyn-White qui s'était pendu après avoir évoqué une insupportable malédiction. Ou celle d'Archibald Douglas Reed ayant radiographié la momie. Ou encore celle de Richard Bethell, le secrétaire de Carter, étranglé peut-être pendant son sommeil. Quant à son père, Lord Westbury, il avait apparemment du mal à se déplacer et aurait été incapable de sauter seul de sa fenêtre, pour se suicider après la mort de son fils…

La sonnette à la porte d'entrée de son appartement interrompit le fil des pensées d'Alex. C'était sa fille qui, comme prévu, venait lui rendre visite en compagnie d'Ashley, sa chère petite-fille. Le vieil homme avait promis d'emmener la fillette cet après-midi-là au British Museum, explorer une fois encore la section des Antiquités égyptiennes. Ashley ne se lassait pas d'y aller et à chaque visite elle buvait les paroles de son grand-père lui décrivant l'histoire et la symbolique des objets exposés, et évoquant ses souvenirs de jeunesse en Égypte.

Leurs pas les menèrent bien sûr jusqu'aux momies. Fascinée, la fillette colla son nez à la vitrine qui les contenait, ses yeux verts grands ouverts. Alex, lui, demeura un peu en arrière. Sa peur était guérie… mais tout de même, il lui restait un vieux fond de malaise inexplicable. Un frisson le parcourut.

Ashley dut le sentir, car elle lui saisit doucement la main en chuchotant :

– Ne t'en fais pas, papy, elles ne peuvent pas nous faire du mal, c'est comme si elles dormaient pour toujours ! Dis, je pourrai le lire, ton livre sur la malédiction de Toutankhamon ? C'est des histoires, pas vrai ?

Il lui sourit :

– Oui, cette malédiction c'est surtout des histoires, mais il y a une part d'explication scientifique ! Cependant, je compte sur toi pour mener l'enquête sur certaines zones d'ombre, quand tu seras devenue journaliste, d'accord ma petite ? Moi j'ai fait mon temps…

– Promis, papy !

Alexander Snooper rendit son dernier soupir cinq ans plus tard, en 1990, paisiblement dans son lit, par un doux matin d'automne. Un soleil doré baignait sa chambre, comme du temps où il s'éveillait plein d'entrain pour aller arpenter les falaises désertiques de la Vallée des Rois... Il avait eu la satisfaction de constater que son livre avait eu un certain succès auprès du grand public et était en paix avec lui-même.

Au fil des années, sa petite-fille Ashley devint une jeune femme vive et déterminée, à l'esprit curieux, au nez pointu et au regard aussi pétillant que son grand-père. Fidèle à sa résolution d'enfant, elle devint journaliste d'investigation, passionnée entre autres par l'Égypte antique. Elle était accompagnée dans tous ses voyages et reportages par sa chatte Bastet, fouineuse et capricieuse mais débordante de tendresse. Et la journaliste ne quittait plus le précieux œil d'Horus que son grand-père lui avait offert quelques jours avant sa mort. Comme s'il avait senti que c'était désormais son tour à elle d'en être la gardienne... à moins que ce ne fût pour la protéger des mille et un dangers qu'elle pourrait courir au cours de sa vie aventureuse ?

À sa manière, Ashley poursuivit l'œuvre d'Alex. Elle voulut en savoir plus sur Toutankhamon, en particulier sur la mystérieuse façon dont il était mort : assassiné ou pas ?

En 2005, elle interviewa une équipe de scientifiques égyptiens, italiens et allemands, spécialistes de génétique – la science de l'hérédité, qui s'étaient penchés sur la momie de Toutankhamon. Leurs découvertes étaient fascinantes : d'une part, ils avaient déterminé que la mère du jeune pharaon était la propre sœur de son père Akhenaton, et non la belle reine Néfertiti, épouse principale de ce dernier.

D'autre part, les scientifiques, en analysant soigneusement la momie, avaient enfin mis au jour la vérité sur sa mort. Le jeune roi était atteint d'une maladie héréditaire qui déformait terriblement les os de ses pieds : le pauvre homme souffrait, boitait et marchait à l'aide d'une canne. D'où le nombre impressionnant de cannes royales retrouvées dans sa tombe ! La cause de cette malformation : les incestes, ces fameux mariages entre frères et sœurs, ou père et filles, si fréquents chez les pharaons, et censés préserver la pureté de la lignée royale ! Ils transmettaient en fait, au fil des générations, de nombreuses tares héréditaires.

De plus, Ashley apprit auprès des savants que Toutankhamon était atteint d'une forme grave de paludisme. Cette maladie infectieuse, transmise par la piqûre de certains moustiques, cause de graves fièvres et douleurs. Ayant du mal à marcher à cause de ses pieds déformés, Toutankhamon avait probablement fait une violente chute et s'était brisé une jambe. Il était alors resté alité, affaibli, et avait eu une terrible crise de paludisme ayant entraîné sa mort. Personne n'avait assassiné le jeune pharaon, anéanti par les maladies !

Ashley aurait tant aimé que son cher grand-père sache tout cela…

Elle demanda à l'un des savants si les deux fœtus momifiés retrouvés dans le tombeau étaient atteints eux aussi de graves maladies héréditaires. La réponse était positive : les enfants de Toutankhamon et de Ankhesenamon étaient trop atteints pour vivre. Le pharaon n'avait donc pas eu de descendance.

La jeune journaliste se pencha aussi sur les mystères entourant ces quelques morts encore suspectes, liées à la découverte du tombeau du pharaon, et qui intriguaient tant Alex. À force de fouiner, lire, interroger… elle dénicha la trace d'un très étrange personnage : Aleister Crowley. Ce Britannique, adorateur de Satan et de l'Égypte antique, décédé en 1947, pratiquait la magie noire à l'époque de Carter : il faisait soi-disant parler les morts et jetait des sorts. Il prétendait aussi pouvoir se rendre invisible… et était un grand consommateur de drogues.

Pour Crowley, pénétrer dans la tombe du roi Toutankhamon et exhumer son corps étaient sacrilèges ! D'où l'hypothèse d'Ashley : Crowley était peut-être un tueur en série, qui aurait voulu punir les membres de l'expédition en les assassinant ! Car étrangement, sa route croisait celle de certaines « victimes de la malédiction » à Londres. Par exemple, Richard Bethell, le secrétaire particulier de Howard Carter : Crowley avait fréquenté son club de gentlemen et aurait pu en profiter pour étouffer Bethell dans son sommeil. Il aurait pu également pousser son père, le vieux Lord Westbury, par la fenêtre de son appartement.

Autre meurtre possible : celui du prince Ali Kamel Bey. D'après les indices trouvés par Ashley, Crowley semblait avoir été l'amant de sa femme, et il aurait pu manipuler celle-ci pour lui faire assassiner le prince à coups de revolver, à la fois pour s'en débarrasser et par vengeance. Il l'aurait également incitée à empoisonner Aubrey Herbert, le demi-frère de Lord Carnarvon, mort d'empoisonnement après s'être fait arracher toutes les dents.

Cette nouvelle piste de tueur en série illuminé demeurait encore très incertaine. Mais Ashley était bien décidée à poursuivre ses recherches patiemment, usant à la fois de sa raison, de son esprit d'observation et de son intuition. Car elle avait en elle cet inlassable désir de comprendre le monde et d'en élucider les mystères… tout comme son cher grand-père.

La malédiction
de Toutankhamon

Ramsès II

(1304 av. J.C. - 1213 av. J.C.) est l'un des plus célèbres pharaons. Il a régné pendant soixante-six ans, un record ! Habile chef de guerre, il a obtenu, après la bataille de Qadesh, un précieux accord de paix avec les ennemis de l'Égypte, les Hittites. Ramsès II a apporté la prospérité et la stabilité à son royaume, a lancé de gigantesques chantiers de construction et fondé de nouvelles cités. Au cours de sa longue vie, qui a duré quatre-vingt-onze ans, il a eu plus de 200 épouses et une centaine d'enfants. Et en toute modestie, il a fait sculpter une multitude de statues à son image.

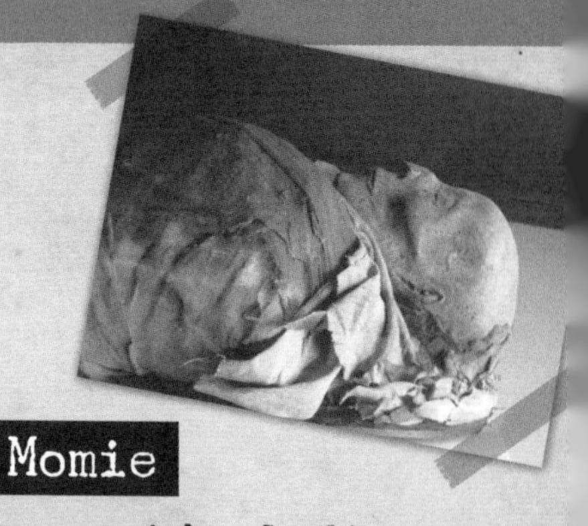

Momie

Pour empêcher la décomposition du corps après la mort, les Égyptiens pratiquaient la momification. Une méthode efficace lorsqu'elle était pratiquée dans de bonnes conditions : après des milliers d'années, le visage de cette momie est quasiment intact ! La couleur noire de la peau est due au natron, une sorte de sel dans lequel on plongeait le cadavre pour le dessécher et le conserver. À l'époque de Carter, pour étudier une momie, on devait retirer ses bandelettes, une opération délicate. De nos jours, c'est inutile grâce à l'imagerie médicale, en particulier aux scanners.

Le tombeau de Toutankhamon

Le tombeau de Toutankhamon est le plus petit de la Vallée des Rois mais le plus visité, ce qui l'a mis en danger. La respiration des milliers de touristes, l'humidité et le sable ont commencé à détériorer les peintures murales décorant la chambre mortuaire. La tombe est désormais fermée au public et en cours de restauration. Mais une copie conforme la remplacera, qui pourra quant à elle être visitée. À travers le monde, des expositions reconstituent également en taille réelle une partie du tombeau de Toutankhamon, pour le grand bonheur des visiteurs !

Les pyramides de Gizeh

Près du Caire, capitale de l'Égypte, se dressent les trois grandes pyramides de Gizeh. Au centre, Kheops, la plus haute, porte le nom du pharaon à qui elle sert de tombeau depuis plus de 4 500 ans. C'est l'une des Sept Merveilles du monde. À l'origine, ces trois pyramides étaient recouvertes de calcaire blanc très lisse. On ignore encore aujourd'hui comment ces gigantesques éifices de pierres à l'architecture complexe ont pu être construits, malgré les moyens très simples de l'époque ! Mais on sait que des milliers d'ouvriers, d'artisans spécialisés et de paysans enrôlés de force y ont participé.

Le grand temple d'Abou Simbel

Ramsès II a fait édifier le temple d'Abou Simbel dans le désert de Nubie, au sud de l'Égypte. Immense, sculpté à flanc de colline, cet édifice est à la fois à la gloire des dieux... et à la sienne. Il est en effet orné de gigantesques statues à l'image de Ramsès, dont quatre à l'entrée. Hautes de 20 m, celles-ci ont la taille d'un immeuble de 8 étages ! Deux fois par an, les rayons du soleil levant les illuminent. Dans les années 1960, la construction du barrage d'Assouan sur le Nil a obligé les Égyptiens à démonter et déplacer ce temple, pour lui éviter d'être submergé par les eaux.

Horus, dieu du Ciel

La religion était très présente dans la vie quotidienne des Égyptiens de l'Antiquité. Ils vénéraient des centaines de dieux et déesses, plus ou moins bénéfiques, qui selon les croyants aidaient à maintenir le monde en harmonie ou le menaçaient. Beaucoup de ces divinités avaient le corps d'un humain et la tête d'un animal, tel Horus, à tête de faucon. Dieu du Ciel, protecteur des pharaons, il maintenait l'ordre et l'harmonie. On le représentait tenant une lance pour lutter contre les forces maléfiques. Ici, derrière Horus se tient Hathor, déesse de la Joie et de l'Amour.

Selon les croyances antiques, le dieu Osiris, qui régnait sur l'Égypte, fut un jour assassiné par son frère Seth, jaloux de son pouvoir. Horus, le fils d'Osiris, décida de venger la mort de son père et affronta son oncle Seth. Au cours du combat, Seth arracha un oeil à Horus et le jeta dans le Nil, mais Horus put le récupérer. Porté comme amulette, cet oeil magique (appelé "oudjat", ce qui signifie "œil préservé") était un objet protecteur, symbole de santé, de fécondité, de vision. On le plaçait aussi sous les bandelettes des momies et on le peignait sur les sarcophages.

La statue en or

Le trésor enfoui dans la tombe de Toutankhamon depuis plus de 3 000 ans était fabuleux. Il est exposé au Musée égyptien du Caire. On pense toutefois que beaucoup de ces merveilles n'avaient pas été prévues pour le jeune pharaon, mort trop tôt, et provenaient de la tombe de son père Akhénaton. Cette statue en or de Toutankhamon porte le némès, une coiffe à rayures uniquement portée par les pharaons, marque de leur pouvoir.

Ses mains croisées sur la poitrine tiennent le sceptre et le fouet, symboles de sa force et de sa protection envers son peuple, qu'il guide comme un pasteur son troupeau.

Carter et Carnarvon

Howard Carter (à droite) était très lié à George Herbert, comte de Carnarvon (à gauche). Ce dernier, un noble britannique, était à la tête d'une fortune colossale. Passionné d'égyptologie, le comte était le mécène de Carter : il a financé sa campagne archéologique dans la Vallée des Rois. On les voit ici tous deux en visite sur le chantier de fouilles du tombeau de Toutankhamon fin 1922. Décédé avant la fin des fouilles, lord Carnarvon n'aura pas la chance d'assister à la découverte de la chambre funéraire du pharaon. Sa mort un peu énigmatique a été la première d'une prétendue "série".

Ce qu'en disait la presse de l'époque

Cette illustration publiée dans un journal italien en 1924 montre la découverte par Carter et son équipe du sarcophage de Toutankhamon. Suspense que vont-ils trouver à l'intérieur ? À l'époque, la presse du monde entier se passionnait pour ces fouilles mystérieuses et la découverte des trésors du pharaon. Mais à force d'être harcelé par les journalistes, Carter exaspéré décida de donner l'exclusivité de ses informations au journal britannique *The Times*. Très contrariés, certains journaux inventèrent la légende de "la malédiction du pharaon" qui eut un grand succès auprès des lecteurs.

LA DOMENICA DEL CORRIERE

Si pubblica a Milano ogni settimana

Supplemento illustrato del "Corriere della Sera"

Anno XXVI — Num. 8.

24 Febbraio 1924.

Centesimi 20 la copia.

La [illegible]ce finalmente nelle tenebre trimillenarie di T[illegible]tankamen.
La scena culminante [illegible]egli scavi di Luxor: il primo sguardo ne[illegible] [illegible]oso sarcofago del re egizio.

Le sarcophage

Le dernier cercueil emboîté dans les précédents était en or massif (ce qui vaut une fortune !) et contenait la momie de Toutankhamon. Une momie que les égyptologues en 1968 trouvèrent en bien mauvais état. Ils pensent qu'en ouvrant son sarcophage et en la manipulant, Howard Carter l'a abîmée, ne sachant pas exactement comment s'y prendre. D'origine modeste, Carter n'avait pas suivi d'études archéologiques mais avait tout appris sur le tas, acquérant ainsi un grand savoir mais sans doute incomplet. Il ne reçut jamais la reconnaissance qu'il espérait du monde scientifique pour ses découvertes.

© Mary Evans/Rue des Archives

Un pharaon jeune et beau

On connaît peu Toutankhamon, qui n'a pas eu le temps d'accomplir grand-chose pendant son court règne. C'est la découverte de sa tombe qui l'a rendu célèbre ! Ce tableau le représentant, peint au XXe siècle, semble assez loin de la réalité. Grâce à de récentes techniques numériques et à l'analyse de sa momie, on a pu reconstituer une première image de synthèse du visage du jeune pharaon. On sait qu'il avait le crâne rasé et allongé, le teint chaud et les lèvres charnues. On ignore encore la forme exacte de son nez et de ses oreilles.
Affaire à suivre !